Meet big **A** and little **a**.

Trace each letter with your finger and say its name.

A is for

ant

A is also for

apple

alligator

astronaut

ABCDEFGHI
JKLMNOPQ
RSTUVWXYZ

alphabet

Aa Story

This little **a**nt is **A**bby.
She can do **a** lot!

Abby the **a**nt can climb
to the top of **a**n **a**pple!

She can **a**ct with **a**n **a**lligator!

She can float like **a**n **a**stronaut!

She can sing the **a**lphabet song from **A** to Z!

Abby the **a**nt is **A**-MAZING!